发现最棒的自己

唱歌跑调的小黄莺

王坤／著　　马亮　肖铮／图

首都师范大学出版社
CAPITAL NORMAL UNIVERSITY PRESS

黄莺妈妈艾琳有副动听的金嗓子，她的歌声有如天籁之音常常回荡在森林上空，给大家带来了如痴如醉的享受。

艾琳希望自己的三个女儿也能唱出柔美、动听的歌。于是她经常抽出空闲时间，来教女儿们唱歌。

三个小黄莺中的姐姐们对妈妈教的歌一学就会，她们的歌声也像妈妈一样悠扬悦耳，清脆婉转。

但最小的贝莎明显与姐姐们不同，每次学歌，她都很认真，可发出的声音却让大家不禁捂住了耳朵。

妈妈估计贝莎可能是太紧张了，就耐心地一步步教她发声、吐字，掌握音准、节奏等唱歌技巧，姐姐们也一遍遍为贝莎做着示范。

可日子一天天过去了，贝莎唱歌的水平还是没有提高，妈妈艾琳越教越没信心，姐姐们也失去了陪练的耐心。

好强的贝莎为了能唱出动听的歌，每天天还未亮就爬起来练声。“咿咿咿，呀呀呀”的刺耳声惊扰了不少邻居的美梦。

百灵鸟狄拉很为好朋友贝莎着急。这天，狄拉飞过茂密的葡萄园，无意中听到狐狸在自言自语："这儿的葡萄水分大，甜度高，吃起来润嗓清喉，太爽了。"

狄拉赶忙给贝莎衔来一串葡萄。甜润的葡萄让贝莎相信，这次她一定能把歌唱好。

贝莎站在摇曳的树枝上，放开歌喉，大声唱起了《候鸟南飞》。可惜她的歌声并没有因为吃了葡萄而变得动听起来。

贝莎苦闷极了，她难过地想：“为什么我总唱不成调呢？究竟有什么方法能把歌唱好呢？”

热心的百灵鸟狄拉拽着不甘心的贝莎飞到一片开满雏菊的草地上，雏菊花瓣上的露珠在晨风的吹拂下摇摇欲坠。

狄拉告诉贝莎：“我妈妈平常就用花瓣上的露珠来保养嗓子。要不，你也试试？”心急的贝莎马上握着花茎，摇下露珠喝了起来。

贝莎满怀希望地飞上灌木丛，又试着唱了一首《小溪里的鱼儿欢》。

一旁的小刺猬疑惑地问她："你是艾琳的小女儿吧？我听过你妈妈唱歌，她的歌声让我陶醉了很久。你怎么唱成这样？"

正在干活的土拨鼠摇着头说：“孩子，你的歌声缺乏感染力，让我听着闹心。”

采蘑菇的小白兔也蹦过来，参与了他们的谈话：“嗨，你妈妈的歌声太好听了，你两个姐姐的歌声也婉转悦耳。你要加油呀！”

大家的话重重敲打在贝莎心头，她伤心地哭起来："我比姐姐们还要努力，可总是唱不好，呜呜……"

热心的小松鼠从树上下来安慰她：“你干嘛非要把歌唱好呢？我曾经见过你跳舞，你的舞姿就像你妈妈的歌声一样令我难忘。”

“是呀，我也喜欢看你跳舞，你的舞蹈轻盈、灵动，令人心醉。”大家你一言我一语地议论起来。

贝莎认真地听着大家的发言，渐渐停止了哭泣。她在大家期待的目光中，跳起了《树林中的小精灵》。

贝莎在空中优雅地旋转着身体，轻盈地舞动着灵活的翅膀，上翘的尾巴顽皮地左右摆动着，像一只在林木间跃动的精灵。大家都被她的舞蹈深深吸引了。

从此，森林里不仅能听到黄莺妈妈悦耳的歌声，还能欣赏到贝莎曼妙的舞姿。她轻盈优美的舞蹈，带给大家如痴如醉的享受，贝莎也在舞蹈中找到了最棒的自己。